A Shorter Course in

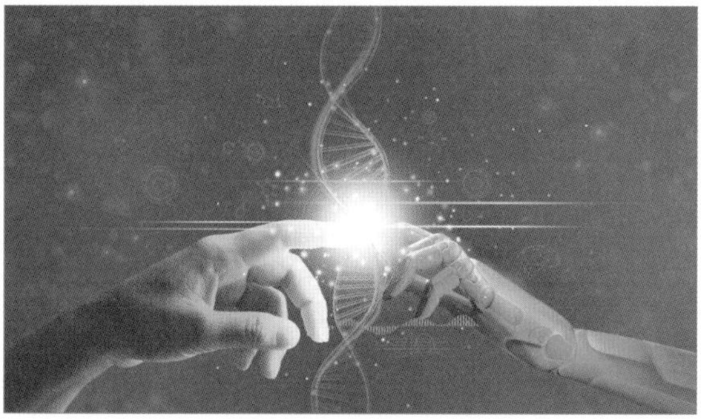

SCIENTIFIC AND TECHNICAL ENGLISH

5分間 科学・技術英語

Yoshiaki Shinoda

NAN'UN-DO

A Shorter Course in SCIENTIFIC AND TECHNICAL ENGLISH

この本の「構成」と「使い方」

本書は、高度情報化した時代にグローバル化した科学・技術・ビジネス分野で英語を使うとき、つまずくことのないよう、目と耳と口からこの分野の英語の本質を体得することを目的として編集したものです。この分野で必須の基本的な表現を中心にまとめました。

実務や研究で使用する英語を習得しようとするとき、目や耳や口の力を借りて嫌というほど練習をしなければならない過程があります。この練習をした人としない人とでは、後になって英語の運用面で大きな差が開くのを、実用面の英語を指導してきた私は、長年に渡って実際に見てきています。これらの練習はそれを行う時期が早ければ早いほど、短時間で習得ができることも私は経験から知っています。

この分野の英語では、相手(audience)に正確に伝えなければなりません。文学と違い、あい昧な表現や比喩的表現（figure of speech）などは、読み手が原意を間違って理解することが多いので避けねばなりません。例えば、I tested the medicine on COVID-19 for ages.（私は新型コロナウイルス感染症の薬を長年試験しました）は、medicine が「どんな薬か」、for ages（長年）も「何年か」、tested も「いつ試験をしたのか」などがあい昧で、ここでは認められません。使用する単語も one-word･one-meaning（一語一義）、文も one-sentence・one idea（一文一概念）が必須です。本書では、このような基本的な知識も学ぶことができます。

ここに収録した英文は、どんな仕事や研究に従事されている方でも必ず使う、「書き言葉（written language)」と「話し言葉（spoken language)」が中心です。前半は基本的な項目を中心にし、後半は各種ドキュメントを種類別にまとめました。したがって、どの課から勉強されても差し支えありません。

全体は 20 課から構成され、各課、左ページでは基本文を完全な形の Basic Sentences で示し、右ページではその復習ができるように工夫した Writing Practice から成り立っています。初学者や文系の方でも安心して利用できるように、Basic Sentences の英文には日本語の訳を付けました。Writing Practice は和文英訳で、1 から 4 までは示された英文をヒントに英語で空欄を埋める問題で、5 から 8 までは全文を英訳する問題です。こうすることによって、実際に現場で使用する重要な語句や英文が自然に習得できます。Basic Sentences の重要語句と Writing Practice の解答の語句とが一致しないところがありますが、これは限られたページにできる限り多くの重要語句を盛り込んだことと、口語と文語が異なるからです。

本書を活用することにより、科学・技術・ビジネス分野の正しい英語の特長が把握でき、活用できると確信します。

2022 年 1 月

著者

CONTENTS

A Shorter Course in
SCIENTIFIC AND TECHNICAL ENGLISH
5分間 科学・技術英語

1 基本動詞（1）

VERBS FREQUENTLY USED（1）

BASIC SENTENCES 音声を聞いて、英文の意味を理解しなさい。

1. Hold the lever firmly with your right hand.
（右手でレバーをしっかり握りなさい）

2. Turn the handle completely clockwise.
（ハンドルを右に完全に回しなさい）

3. Tighten the screw with a screwdriver.
（ネジ回し（ドライバー）でネジを締めなさい）

4. Align the tables in three rows.
（テーブルを３列に並べなさい）

5. Hammer the chisel into the gap.
（タガネを隙間へ打ち込みなさい）

---

1. **hold**「保持する」have は「一時的に持つ」だから異なることに注意。 **firmly**「しっかりと」
2. **turn**「回す」 **completely**「完全に」 **clockwise** = to the right（時計の針と同じ方向に；右へ）
3. **tighten**「締める」 **screwdriver**「ネジ回し」driver だけでは「運転手」になる。
4. **align**「一直線にする」 **row**「列」
5. **hammer**「ハンマーで叩く」ここでは動詞。 **chisel**「タガネ（鋼製の［工具］のみ）」

WRITING PRACTICE 1

1 ～ 4 は空欄を適切な語（句）で埋め、5 ～ 8 は全文を和文英訳しなさい。

1. ハンドルを左手で持ちなさい。

   (　　　　　　　) the handle with the (　　　　　　　) hand.

2. 取っ手を左に一杯に回しなさい。

   (　　　　　　　) the lever completely (　　　　　　　　　　).

3. （自在）スパナーでナットを堅《かた》く締めなさい。

   (　　　　　　　) the nut firmly with a (　　　　　　　　　　).*

   ＊ これはアメリカ英語。イギリス英語では spanner.

4. ナットの番号とワッシャーの番号を合せなさい。

   (　　　　　　　) the nut number (　　　　　　　) the washer number.

5. 電気をつけなさい。

   (　　　　　　　　　　　　　　　　　　　　　　　　　　　)

6. ネジを外しなさい。

   (　　　　　　　　　　　　　　　　　　　　　　　　　　　)

7. ボタンを押しなさい。*

   (　　　　　　　　　　　　　　　　　　　　　　　　　　　)

   ＊ 軽く押すときは touch を、強く押すときは press を使う。depress は格式語です。

8. 部品を組み立てなさい。

   (　　　　　　　　　　　　　　　　　　　　　　　　　　　)

2 基本動詞（2）
VERBS FREQUENTLY USED（2）

BASIC SENTENCES 音声を聞いて、英文の意味を理解しなさい。

1. Put the box on the cart.
（箱をワゴンの上に置きなさい）

2. Bend the wire 10 cm from the end.
（先端から 10 センチの位置で針金を曲げなさい）

3. Cut the tape with a knife.
（テープをナイフで切りなさい）

4. Place the clip on the bench with the opening up.
（開口部を上にして、クリップを台に置きなさい）

5. Attach the screw to the rail.
（レールにネジを付けなさい）

---

1. **put** は place でもよい。　**cart**「荷車；ワゴン」
2. **bend**「曲げる」　**end**「端」
4. **clip**「クリップ」　**bench**「ベンチ；台」　**with ～ up**「～を上にした状態で」この with を付帯状態の with という。　**opening**「開口部」
5. **attach**「付ける」

WRITING PRACTICE 2

1 ～ 4 は空欄を適切な語（句）で埋め、5 ～ 8 は全文を和文英訳しなさい。 05

1. 部品を元の位置へ戻しなさい。
   (　　　　　　　) the parts back in the (　　　　　　　) place.

2. ナットをゆっくり 10 秒ほどかけて回しなさい。
   (　　　　　　　) the nut (　　　　　　　) for about ten seconds.

3. 部品は湿気のあるところには置かないこと。
   Do not (　　　　　　　) the part in a (　　　　　　　) place.

4. ジョイントにテープを巻きなさい。
   (　　　　　　　) the tape (　　　　　　　) the joint.

5. ハンマーを取りなさい。
   (　　　　　　　　　　　　　　　　　　　　　　　　　　)

6. 古い部品を新しい部品と交換しなさい。
   (　　　　　　　　　　　　　　　　　　　　　　　　　　)

7. モーターを逆転させなさい。
   (　　　　　　　　　　　　　　　　　　　　　　　　　　)

8. テープをデッキに入れなさい。
   (　　　　　　　　　　　　　　　　　　　　　　　　　　)

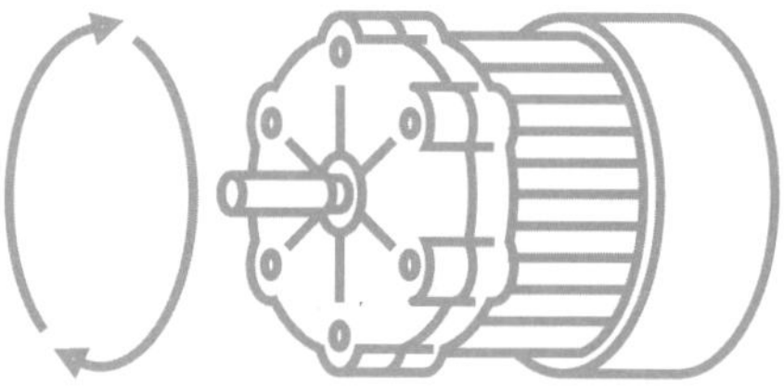

3 基本動詞 (3)
VERBS FREQUENTLY USED (3)

BASIC SENTENCES 音声を聞いて、英文の意味を理解しなさい。

1. Connect the cord to the outlet.
   (コードをコンセントにつなぎなさい)

2. Weld the nut on the base.
   (ナットを台に熔接しなさい)

3. Flatten the bar with a hammer.
   (ハンマーで棒を平らたくしなさい)

4. Stick the tape on the board.
   (テープを板に貼りなさい)

5. Record the test results on the data sheet.
   (試験結果をデータ・シートに書き込みなさい)

---

1. **connect ~ to ...**「~を…へつなぐ」　**outlet**「コンセント」日本語の「コンセント」は和製英語で、英語では outlet という。
2. **weld**「熔接する」　**base**「台」
3. **flatten**「平らたくする」flat（平らの）の動詞。形容詞に -en を付けると動詞になるものが多い。*cf.* tight → tighten
4. **stick**「付ける；貼る」　**board**「板」
5. **record**「記録する」　**test result**「試験結果」　**data sheet**「データ・シート」

WRITING PRACTICE 3

1 ～ 4 は空欄を適切な語（句）で埋め、5 ～ 8 は全文を和文英訳しなさい。

1. 物差しを点線に合せなさい。

   (   ) the ruler with the (   ) line.

2. パネルにスイッチを取り付けなさい。

   (   ) the switch on the panel.

3. ペンチでパンチを回しなさい。

   (   ) the stamp with the (   ).

4. 紙を半分に折りなさい。

   (   ) the paper in (   ).

5. メーターを見なさい。

   (   )

6. ペンチでチップを外しなさい。

   (   )

7. ボルトをゆるめなさい。

   (   )

8. 圧力を抜きなさい。

   (   )

4 基本演算に関する表現（1）

SIMPLE CALCULATION（1）

BASIC SENTENCES 音声を聞いて、英文の意味を理解しなさい。

1. Add 8 to 12, and then subtract 8 from the result.
（8と12を加え、次に、その結果から8を引きなさい）

2. When 5 is multiplied by 3, the result is 15.
（5に3を掛けると、結果は15になります）

3. The quotient of 12 divided by 4 is 3.
（12を4で割った商は3です）

4. A number is divisible by 10 if it ends in 0.
（0で終わる数字は10で割れます）

5. The difference between the sum of 26 and 14, and the quotient of 12 divided by 4, is 37.
（26と14の和と12を4で割った商の差は37です）

---

1. **add ～ to …**「～を…へ加える」plus ～ and … も用いる。　**subtract ～ from …**「～を…から引く」minus ～ from … も用いる。　**the result** = the answer「結果；答え」
2. **multiply ～ by …**「～を…で掛ける」～ times … も用いる。
3. **quotient**「商」*cf.*「積」product　**divide ～ by …**「～を…で割る」
4. **be divisible** = can be divided　**end**「終わる」
5. **difference between A and B**「AとBの差」　**sum**「和」

WRITING PRACTICE 4

1 ～ 4 は空欄を適切な語（句）で埋め、5 ～ 8 は全文を和文英訳しなさい。 09

1. 3つの品目の値段を加算しなさい。

   (　　　　　　　) the prices of three items.

2. 30から20を引きなさい。

   (　　　　　　　) 20 from 30.

3. 8に5を掛けると40になります。

   When you (　　　　　　　) 8 by 5, the result is 40.

4. $10\frac{1}{2}$ を $1\frac{1}{2}$ で割りなさい。

   (　　　　　　　) $10\frac{1}{2}$ by $1\frac{1}{2}$.

5. 5に6を加えると11になります。

   (　　　　　　　　　　　　　　　　　　　　　　　　　　　　　　)*

   ＊ または、Add 5 to 6, and the result is 11. / 5 plus 6 is 11.

6. 50から15を引き、その結果からさらに12を引きなさい。

   (　　　　　　　　　　　　　　　　　　　　　　　　　　　　　　)*

   ＊ または、50 minus 15, and then minus 12.

7. 偶数*1 はすべて2で割れます。

   (　　　　　　　　　　　　　　　　　　　　　　　　　　　　　　)*2

   ＊1 even number *cf.*「奇数」odd number
   ＊2 または、All even numbers are divisible by 2.

8. 2つの数の平均を求め、それに10を掛け、その結果を3で割りなさい。

   (　　　　　　　　　　　　　　　　　　　　　　　　　　　　　　)

5 基本演算に関する表現（2）
SIMPLE CALCULATION（2）

BASIC SENTENCES 音声を聞いて、英文の意味を理解しなさい。 10

1. Round off 86,471 to the nearest thousand.
（86,471 を四捨五入して千の位まで求めなさい）

2. 87,000 is obtained by rounding upward rather than downward.
（切り下げるかわりに、切り上げて 87,000 が得られます）

3. What is the greatest common factor of 24 and 36?
（24 と 36 の最大公約数は何ですか）

4. To find the product of $5\times(3+7)$, find the sum of 3 and 7 and then multiply this sum (10) by 5.
（$5\times(3+7)$ の積を求めるには、3 と 7 の合計を求め、この合計（10）に 5 を掛けます）

5. The square root of 36 is 6.
（36 の平方根は 6 です）

$$\sqrt{x}$$

---

1. **round off**「四捨五入する」　**to the nearest thousand**「千の位まで」
2. **round upward** = round up「切り上げる」　**round downward** = round down「切り下げる」
3. **the greatest common factor**「最大公約数」 *cf.*「最小公倍数」the least common multiple
4. **find**「求める」　**product**「積」
5. **square root**「平方根」

WRITING PRACTICE 5

1～4は空欄を適切な語（句）で埋め、5～8は全文を和文英訳しなさい。

1. 各分数を小数に直し、四捨五入して、小数第2位まで求めなさい。
   Convert each of the ( ) to ( ), ( ) off to the nearest ( ).

2. 37.2÷0.07の商を小数第1位まで正確に求めなさい。
   Find the ( ) of 37.2 divided by 0.07 correct to the nearest ( ).

3. 7.2に何かを掛けると0.432になります。
   7.2 ( ) something is 0.432.

4. 5の2乗は25です。
   The ( ) of 5 is 25.*
   ＊または 5 squared is 25.

5. 四捨五入した数は453.07です。
   ( )

6. 16の平方根を求めなさい。
   ( )

7. 正解に100を掛けなさい。
   ( )

8. 9の2乗は81だが、9の平方根は3です。
   ( )

6 分数に関する表現

FRACTIONS

BASIC SENTENCES 音声を聞いて、英文の意味を理解しなさい。

1. $\frac{13}{25}$ can be converted to a decimal by dividing 13 by 25.
   （$\frac{13}{25}$ は 13 を 25 で割ると小数に直せます）

2. Reduce $\frac{24}{36}$ to lowest terms. $\frac{2}{3}$ is the fraction $\frac{24}{36}$ in its lowest terms.
   （$\frac{24}{36}$ を完全に約分しなさい。$\frac{2}{3}$ が $\frac{24}{36}$ を完全に約分したものです）

3. Now, we know that $\frac{1}{2}$ must be multiplied by $\frac{3}{5}$, and $\frac{1}{3}$ by $\frac{2}{7}$.
   （そこで、$\frac{1}{2}$ に $\frac{3}{5}$ を掛け、$\frac{1}{3}$ に $\frac{2}{7}$ を掛けなければならないことが分かります）

4. Find a fraction equivalent for $\frac{1}{2}$ which has the same denominator as $\frac{1}{4}$.
   （$\frac{1}{4}$ と同じ分母を有する $\frac{1}{2}$ に相当する分数を求めなさい）

5. To divide one fraction by another, simply multiply the first fraction by the reciprocal of the second.
   （ある分数を他の分数で割るのは、初めの分数に後の分数の逆数を掛けます）*
   * $\frac{a}{b} \div \frac{c}{d}$ は $\frac{a}{b} \times \frac{d}{c}$ と同じことである。

---

1. **convert ~ to ...**「~を…へ変換する」　**decimal**「小数」
2. **reduce ~ to lowest terms**「~を一番小さい項まで約分する」
3. $\frac{1}{3}$ **by** $\frac{2}{7}$ = $\frac{1}{3}$ must be multiplied by $\frac{2}{7}$.
4. **a fraction equivalent for ...** = a fraction which is equivalent for ...
   the same ~ as ...「…と同じ~」　**denominator**「分母」 *cf.*「分子」numerator
5. **one fraction by another** = one fraction by another *fraction*　**fraction**「分数」
   reciprocal「逆数」　**the second** = the second *fraction*

WRITING PRACTICE 6

1 ～ 4 は空欄を適切な語（句）で埋め、5 ～ 8 は全文を和文英訳しなさい。

1. $\frac{16}{27} \times \frac{3}{4}$ は $\frac{48}{108}$ となり、約分すると $\frac{4}{9}$ となります。
   If $\frac{16}{27}$ is multiplied by $\frac{3}{4}$, we get $\frac{48}{108}$, which can be
   (　　　　　　　　) to $\frac{4}{9}$.

2. 0.103 に相当する分数は何ですか。
   What (　　　　　　　　) is the equivalent of 0.103?

3. $\frac{37}{5}$ を帯分数に変えなさい。
   (　　　　　　　　)* $\frac{37}{5}$ to a mixed number.
   * Change でもよい。

4. $11\frac{1}{5}$ から $7\frac{2}{3}$ を引くには、$\frac{2}{3}$ は $\frac{1}{5}$ より大きいので 11 から 1 を借りて $\frac{5}{5}$ にして $\frac{1}{5}$ に加えます。
   When $7\frac{2}{3}$ is subtracted from $11\frac{1}{5}$, (　　　　　　　　) 1 from 11 and (　　　　　　　　) it to $\frac{1}{5}$ in the form of $\frac{5}{5}$ because $\frac{2}{3}$ is larger than $\frac{1}{5}$.

5. $\frac{5}{6}$ と $\frac{3}{7}$ の積を求めなさい。
   (　　　　　　　　　　　　　　　　　　　　　　　　　　　　)

6. $\frac{13}{25}$ に相当する小数はいくつですか。
   (　　　　　　　　　　　　　　　　　　　　　　　　　　　　)

7. 6 インチと 1 フィートの比は $\frac{6}{12}$ です。
   (　　　　　　　　　　　　　　　　　　　　　　　　　　　　)

8. 分数 $\frac{3}{10}$ とは 3 を 10 で割ったときの商を表わします。
   (　　　　　　　　　　　　　　　　　　　　　　　　　　　　)

7 比較についての表現
COMPARISONS

BASIC SENTENCES 音声を聞いて、英文の意味を理解しなさい。

1. The population of the town has increased by 2,000; it is now 10,000.
(その町の人口は 2,000 人増加し、10,000 人になりました)

2. The earth's diameter is almost four times as large as the moon's.
(地球の直径は月の約 4 倍である)

3. The shortest arm is four inches shorter than the longest one.
(一番短いアームは、一番長いアームよりも 4 インチ短い)

4. The new 22,300 square meter building will be six times as large as the company's laboratory.
(22,300 平方メートルのその新しい建物は、その会社の研究所の 6 倍の大きさです)

5. The aspirin studies show a 20 percent lower death rate from second heart attacks among those who had already suffered one.
(アスピリンを研究した結果、すでに 1 回心臓病になった人が、2 回目に襲われた場合の死亡率を 20 パーセント下げていることがわかった)

---

1. **population**「人口」　**by**「～まで」程度を示す。
2. **diameter**「直径」　***x* times as ～ as …**「…より *X* 倍～」
3. = The shortest arm is shorter than the longest one by four inches.
4. **square meter**「平方メートル」　**laboratory**「研究所；事業所」
5. **aspirin**「アスピリン」　**death rate**「死亡率」　**heart attack**「心臓病」　**suffer**「悩む」

WRITING PRACTICE 7

1 ～ 4 は空欄を適切な語（句）で埋め、5 ～ 8 は全文を和文英訳しなさい。

1. 宇宙で物を据え付ける費用は、はるかに高いです。

   The cost of putting things in space is ( ).

2. 1 日 1 錠アスピリンを飲むと、致命的な心臓病の危険を 20 ～ 50 パーセント下げるでしょう。

   An aspirin a day could lower the risk of a fatal heart attack ( ).

3. 希望するドットの位置より、1 だけ下の位置を指定しなさい。

   Specify one dot position ( ) the desired dot position.

4. 補角の 1 つは、他の 9 倍です。

   One of the two supplementary angles is ( ) the other.

5. 海底探査費は、はるかに安いです。

   ( )

6. カメラの生産は、30 パーセント増加しました。

   ( )

7. その結果は、11,000 人以上の患者から得た科学的研究に基づくものです。

   ( )

8. 木星の質量は、地球の約 318 倍です。

   ( )

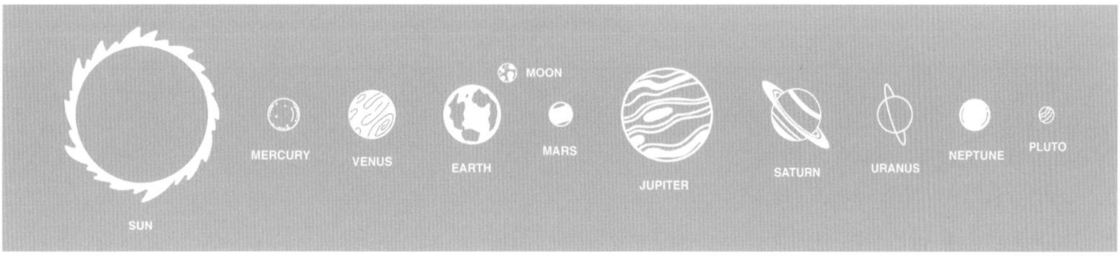

8 位置関係を表わす表現
LOCATION, POSITION, SPACE

BASIC SENTENCES 音声を聞いて、英文の意味を理解しなさい。

1. Your eye level should be at a right angle to the gauge.
（目の位置はゲージに直角にすべきです）

2. Turn the nut slowly at a 90° angle to the screw.
（ネジに対して 90 度の角度で、ナットをゆっくり回してください）

3. The studs are placed at intervals of 6 inches.
（鋲《びょう》は 6 インチの間隔で打たれています）

4. The pin is attached to the end of the lever.
（レバーの先端にピンが付いています）

5. The other side of the head is flat.
（頭部の別の側は平らです）

---

1. **eye level**「目の高さ」　**right angle**「直角」
2. **at a 90° angle**「90 度の角度で」
3. **stud**「鋲」　**interval**「間隔」
4. **be attached to ～**「～に付いている」　**end**「端」
5. **other side**「別の側」　**head**「頭部」　**flat**「平らの」

WRITING PRACTICE 8

1 ～ 4 は空欄を適切な語（句）で埋め、5 ～ 8 は全文を和文英訳しなさい。

1. トーチ角度は、35 度に保ちなさい。
   Keep the torch at a 35 degree (　　　　　　　).

2. 鋲は板の右側に付いています。
   The stud is (　　　　　　　) to the right side of the board.

3. 垂直線は、水平線に直交します。
   The (　　　　　　　) line is (　　　　　　　) to the horizontal line.

4. A と B の間は、10 センチ離すべきです。
   The (　　　　　　　) between A and B should be about 10 cm.

5. 2 本のレールを平行に置きなさい。
   (　　　　　　　　　　　　　　　　　　　　　　　　)

6. 線は水平に引きなさい。
   (　　　　　　　　　　　　　　　　　　　　　　　　)

7. パイプを垂直に立てなさい。
   (　　　　　　　　　　　　　　　　　　　　　　　　)

8. 2 点間の距離を測定しなさい。
   (　　　　　　　　　　　　　　　　　　　　　　　　)

9 温度・速度に関する表現
TEMPERATURE, SPEED

BASIC SENTENCES 音声を聞いて、英文の意味を理解しなさい。 18

1. The spindle speed of lathes has been stepped up from 2,000 rpm to 2,400 rpm in many cases.
（旋盤《せんばん》のスピンドルのスピードは、たいていの場合、毎分 2,000 から 2,400 回転を上限に段階的に上がりました）

2. Ice melts at 32 degrees Fahrenheit or at 0 degrees Centigrade.
（氷は華氏 32 度、すなわち、摂氏 0 度で融《と》けます）

3. Mr. Suzuki drove his car steadily at 40 mph for 120 miles. He then sped up and drove the subsequent 120 miles at 60 mph.
（鈴木氏は、120 マイルの間は時速 40 マイルの定速で運転し、それからスピードを上げ、次の 120 マイルは時速 60 マイルで運転しました）

4. The coefficients of cubical expansion for different gases at ordinary temperatures are about the same.
（常温において、異なった気体の体積膨張《ぼうちょう》係数はだいたい同じです）

5. Oil is preferred for bearings which operate at speeds higher than 3,000 sfm.
（オイルは、毎分 3,000 フィート以上の速度で動作するベアリングに使用するのが望ましいです）

---

1. **lathes**「旋盤」 **step up**「段階的に上がる」 **rpm** = revolutions per minute「毎分…回転」
2. **melt**「融ける」 **Fahrenheit**「華氏」 **Centigrade** (Celsius)「摂氏」
3. **steadily**「定速で」 **mph** = miles per hour「時速…マイル」 **speed up**「速度を上げる」 **subsequent**「それに続く」
4. **coefficients**「係数」 **cubical expansion**「体積膨脹係数」 **ordinary temperature**「常温」
5. **be preferred for …**「…に好まれる」 **sfm** = surface feet per minute「毎分…フィート」

WRITING PRACTICE 9

1 ～ 4 は空欄を適切な語（句）で埋め、5 ～ 8 は全文を和文英訳しなさい。

1. その飛行機の速度は、時速 1,200 キロです。
   The plane has a (　　　　　　) of 1,200 kph.

2. イオウの融点は、摂氏 112.8 度です。
   Sulfur has a (　　　　　　) of 112.8 degrees (　　　　　　).

3. アルファイオウは、室温で安定です。
   Alpha-sulfur is stable at (　　　　　　).

4. その巡航艇《じゅんこうてい》は、18 ノット、すなわち、時速 33.3 キロで巡航できます。
   The fireboat is capable of cruising at 18 knots, or (　　　　　　).

5. 音速は 1 秒間に 333 メータです。*
   (　　　　　　)
   ＊ meters per second = m/s. あるいは mps

6. 水は華氏 212 度、すなわち、摂氏 100 度で沸騰《ふっとう》します。
   (　　　　　　)

7. 温度は摂氏マイナス 5.9 度と記録されました。
   (　　　　　　)

8. その弁は毎分 6,000 回転のエンジンスピードで作動します。
   (　　　　　　)

10 角度・緯度・経度に関する表現
ANGLE, LATITUDE, LONGITUDE

BASIC SENTENCES 音声を聞いて、英文の意味を理解しなさい。

1. Taiwan lies between parallels 21° 54’N. and 25° 20’N. and meridians 120° 4’E. and 121° 57’E.
（台湾は北緯 21 度 54 分から 25 度 20 分、東経 120 度 4 分から 121 度 57 分の平行線の間に位遣します）

2. Most typhoons are formed in the Pacific Ocean east of the Philippines between latitude 5° N. and 25° N.
（たいていの台風は、フィリピン東の太平洋上北緯 5 度から 25 度の間で生まれます）

3. If the angles of a triangle are in the ratio 2:5:8, what is the size of each angle?
（三角形の角の比が 2：5：8 であるとき、それぞれの角の大きさはどうなりますか）

4. Draw a line through the vertex so that it bisects the angle.
（頂点を通って線を引き、その角を 2 等分しなさい）

5. Read the gauge with the eye at a right angle to the gauge.
（目の位置はゲージに直角にして、ゲージの目盛を読み取りなさい）

---

1. **lie between parallels**「平行線の間に横たわる」 **meridian**「経線」
2. **be formed**「形成される」 **the Pacific Ocean**「太平洋」 **latitude**「緯度」
3. **triangle**「三角形」 **ratio**「比」
4. **vertex**「頂点；頂上」 **bisect**「2 等分する」
5. **with the eye**「目の高さ」のこと。 **right angle**「直角」

WRITING PRACTICE 10

1～4は空欄を適切な語（句）で埋め、5～8は全文を和文英訳しなさい。

1. ロサンゼルスは北緯34度、西経118度にあります。

   Los Angeles is at the (　　　　　　) of 34° N. and the (　　　　　　) of 118° W.

2. 3つの角を加えると直線、すなわち、180度になります。

   The three (　　　　　　) added together make a (　　　　　　) line, in other words 180°.

3. 2直線は90度を成して交わります。

   The two lines (　　　　　　　　　　) an angle of 90 degrees.

4. 中心線に対して60度でヤスリを用いなさい。

   (　　　　　　) the file at an angle of 60 degrees (　　　　　　　　　　).

5. ローマはグリニッジの東経12度にあります。

   (　　　　　　　　　　　　　　　　　　　　)

6. 直角三角形は90度の角を持ちます。

   (　　　　　　　　　　　　　　　　　　　　)

7. その屋根の傾斜は急です。

   (　　　　　　　　　　　　　　　　　　　　)

8. 飛行機は進路を東へ20度変えました。

   (　　　　　　　　　　　　　　　　　　　　)

11 面積・体積に関する表現

AREA, SPACE, VOLUME

BASIC SENTENCES 音声を聞いて、英文の意味を理解しなさい。

1. According to the problem, the base of the parallelogram is $x + 3$ and its height is $x - 2$.
（題意から、平行四辺形の底辺は $x + 3$、高さは $x - 2$ です）

2. In a rectangular section, the cross-sectional area is the width times the depth of the cross section.
（矩《く》形《けい》部では、断面積は断面の「幅×深さ」になります）

3. The state-of-the-art laboratory is on 75,000 square meters of land.
（最新技術を取り入れた研究所は、敷地が 75,000 平方メートルあります）

4. Prices range from US \$95,000 to US \$220,000, and sizes are from $\frac{1}{2}$ acre (2,000 m^2) to 2 acres (8,000 m^2).
（価格は 95,000US ドルから 220,000 US ドルの範囲で、広さは 1/2 エイカー（2,000 平方メートル）から 2 エイカー（8,000 平方メートル）の範囲です）

5. How much will fencing cost be for a rectangular lot 42’ by 60’ if each yard of fencing costs \$2?
（フェンスの値段を 1 ヤード当たり 2 ドルとすると、42 フィートと 60 フィートの長方形の敷地のフェンスに要する値段はいくらですか）

---

1. **parallelogram**「平行四辺形」　**height**「高さ」
2. **rectangular**「矩形の」ここでは形容詞。　**cross-sectional**「断面の」
3. **the state-of-the-art**「最新技術を取り入れた」形容詞として名詞の前に置くのが普通。
laboratory「研究所」　**square meter**「平方メートル」
4. **range from ~ to …**「~から…への範囲である」
5. **fencing cost**「フェンスの値段」

WRITING PRACTICE 11

1 ～ 4 は空欄を適切な語（句）で埋め、5 ～ 8 は全文を和文英訳しなさい。

1. 200,000 平方メートルの緑地が、荒れたままでした。
   The (   ) green spot was wild.

2. 半径 5 インチの円の円周を求めなさい。
   Find the (   ) of a circle with a 5 inch radius. *
   * with a radius of 5 inches でもよい。

3. 1 辺が 5 インチの立方体の各辺を 20%だけ増しました。
   Each (   ) of a 5” cube is (   ) by 20%.

4. 1 辺が 5 インチの立方体に、半径 1 インチの穴が開けてあります。
   Through a 5” (   ), a hole 1” in (   ) is drilled.

5. その長方形の敷地のフェンスに要する値段はいくらですか。
   (   )

6. 正方形の 1 辺を X と表示しなさい。
   (   )

7. その正方形の面積を求めなさい。
   (   )

8. この形状の体積を求めなさい。
   (   )

12 長さ・幅・深さに関する表現
LENGTH, WIDTH, DEPTH

BASIC SENTENCES 音声を聞いて、英文の意味を理解しなさい。 24

1. While length is measured in linear units, and area is measured in square units, volume is measured in cubic units.
   (長さは一次単位で、面積は平方単位で測定されるが、体積は立方単位で測定されます)

2. The probe will continue dropping, for the atmosphere is thousands of miles thick at the very least.
   (そのような大気は少なくとも何千マイルもの厚さがあるので、探索船は下降し続けるでしょう)

3. Any of the letter styles can be elongated to twice their normal width.
   (あらゆる種類の文字が、通常の幅の2倍に拡大することができます)

4. The building consists of a room having a minimum floor space of 800 sq. ft. and a minimum inside height of 8 ft.
   (建物は最小床面積が800平方フィート、最小内寸高さが8フィートの部屋で構成されています)

5. A long twig about 2” in diameter across the gap will not support his weight.
   (その割れ目に直径2インチほどの細長い枝を渡しても、彼の体重を支えることはできないでしょう)

---

1. **in linear units**「一次単位で」 **in square units**「平方単位で」
   in cubic units「立方単位で」
2. **probe**「探索船」 **at the very least**「少なくとも」
3. **letter**「文字」 **elongate**「拡大する」
4. **floor space**「床面積」 **sq.** = square **minimum inside height**「最小内寸高さ」
5. **twig**「枝」 **weight**「体重」 **gap**「ギャップ；割れ目」

WRITING PRACTICE 12

1 ～ 4 は空欄を適切な語（句）で埋め、5 ～ 8 は全文を和文英訳しなさい。

1. その紙の最大幅は $8\frac{1}{2}$ インチしかありません。
   The (　　　　　　　　　　　) of the paper is only $8\frac{1}{2}$ inches.

2. この箱の奥行きは 5 インチ、幅は 2 インチ、高さは $1\frac{1}{2}$ インチです。
   The box is 5 inches (　　　　　　　), 2 inches (　　　　　　　), and one and one half inches (　　　　　　　).

3. 彼は、厚さ 4 インチ以上の材木を探しました。
   He looked for a log (　　　　　　　) than 4 inches.

4. その鉛筆は、必要な長さを 2 インチ超えています。
   The pencil is 2 inches (　　　　　　　　　　　) requirements.

5. 東京タワーの高さは 333 メートルです。
   (　　　　　　　　　　　　　　　　　　　　　　　　　　　　　)

6. 彼らは、幅 5 メートルの小川を渡らなければなりませんでした。
   (　　　　　　　　　　　　　　　　　　　　　　　　　　　　　)

7. その壁にタイルを張るには、全部で何枚いるでしょうか。
   (　　　　　　　　　　　　　　　　　　　　　　　　　　　　　)

8. すべての筒《つつ》を同じ長さに切りなさい。
   (　　　　　　　　　　　　　　　　　　　　　　　　　　　　　)

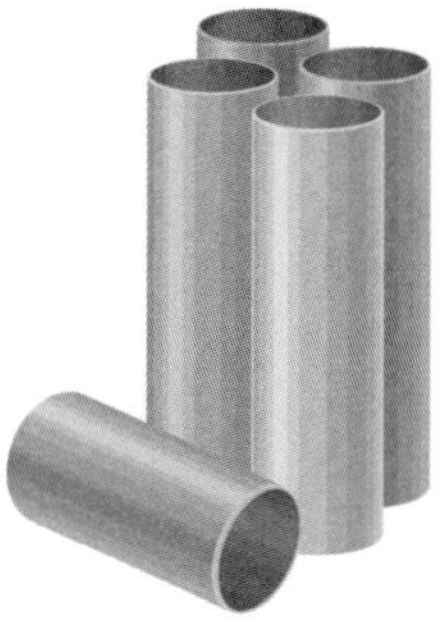

13 以上・以下・未満に関する表現

MORE THAN, EXCEED, ～ OR MORE, LESS THAN, BELOW

BASIC SENTENCES　音声を聞いて、英文の意味を理解しなさい。　26

1. The company manufactures and markets products in more than 120 countries around the world.
（その会社は、世界中の 120 以上の国で、製品を製造、販売しています）

2. Spot-market prices for crude oil plunged below $20 a barrel for the first time since 1979.
（原油のスポットマーケット価格は、1979 年以来初めて 1 バレル当たり 20 ドル以下に下がりました）

3. We cannot hear sounds that have less than 16 vibrations a second or more than about 17,000 vibrations a second.
（われわれの耳には、毎秒 16 未満の振動数を持つ音も聞こえなければ、17,000 以上の振動数を持つ音も聞こえません）

4. Current consulting contracts total $40 million and account for more than half the company's profits.
（現在のコンサルタント契約料は、4 千万ドルに達し、企業利益の半分以上となっています）

5. A substance composed by the fusion of two or more metals is called an alloy.
（2 つか、それ以上の金属が、融解してできた物質を合金といいます）

---

1. **market**「市場に出す」→「販売している」
2. **spot-market price**「現金取引市場価格」　**crude oil**「原油」　**plunge**「急に下がる」　**barrel**「バレル」
3. **less than 16** ここでは 16 は含まないが 15.9 は含む。数字を明確に言うときは more than 3 のような場合、4 から上を意味する。
4. **current**「現在の」　**contract**「契約」　**total**「合計～になる」　**account for**「になる」　**profit**「利益」
5. **substance**「物質」　**fusion**「融解」　**two or more**「2 か、2 以上」　**alloy**「合金」

WRITING PRACTICE 13

1 ～ 4 は空欄を適切な語（句）で埋め、5 ～ 8 は全文を和文英訳しなさい。

1. その他の外国は、1,500 以上の米国の特許を集めました。

   Other foreign countries collected (   ) U.S. patents.

2. 探索船は、木星まで 1,000 マイル以下の距離まで、すれすれに接近するでしょう。

   The probe will skim by Jupiter at a distance of (   ).

3. 弧が小さければ小さいほど、振子の振りは小さくなります。

   The oscillation of the pendulum decreases as the arc (   ).

4. 水素分子は、毎秒 1 マイル以上の速度で運動します。

   The hydrogen molecule travels at a speed of (   ).

5. 売上高は、5 億円を超えました。

   (   )

6. その町は、1,000 年たらず前に地震で破壊されました。

   (   )

7. その道具は、3,000 年以上前に作られました。

   (   )

8. 電磁石は、線を 1 回かそれ以上巻いたコイルでできています。

   (   )

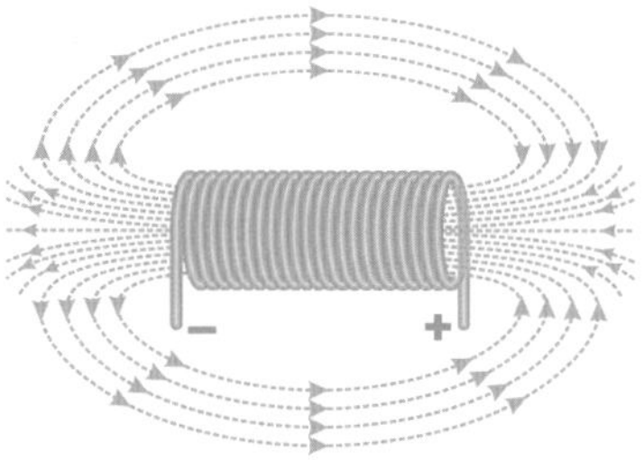

14 会社案内
COMPANY INTRODUCTION

BASIC SENTENCES 音声を聞いて、英文の意味を理解しなさい。 28

1. The Tokyo Plant was established in October 1967 by combining the Fuchu Works and the Tachikawa Works.
(東京工場は、府中工場と立川工場を合併して、昭和 42 年 10 月に発足しました)

2. Fifty years have passed since we started making automobile parts.
(当社が、自動車部品を作り始めてから 50 年が過ぎました)

3. We have done our best to produce the reliable products.
(当社は、信頼のおける製品の製作に最善の努力をはらってまいりました)

4. We make it our business to satisfy our customers.
(お客様に満足していただくことが、私共の仕事だと思っております)

5. The illustrations and specifications in this catalogue describe the latest product data.
(このカタログに記載されている図や仕様は、最新の製品データを述べております)

---

1. **be established** = be founded「設立される」
2. **start making** ~「~を作り始める」
3. **do our best**「最善の努力をはらう」
4. **satisfy one's customers**「お客様を満足させる」
5. **illustrations**「図」　**specifications**「仕様」　**latest**「最新の」　**product data**「製品データ」

WRITING PRACTICE 14

1～4は空欄を適切な語（句）で埋め、5～8は全文を和文英訳しなさい。 29

1. 当社は、このすばらしい自宅学習プログラムを開発しました。
We have ( ) this remarkable learn-at-home program.

2. 当社は、伝導性複合体の技術において、常に世界中を指導しております。
We are always ( ) in the technology of conductive composites.

3. 営業部は、全米に技術の面でお世話になる代理店があります。
The Sales Department is supported by ( ) throughout the United States.

4. ABC会社は、1年間に総売り上げの10パーセントを投資しております。
The ABC Company ( ) 10% of its gross sales every year.

5. 当社は、昭和50年7月に横浜に設立されました。
( )

6. 鈴木株式会社には、部品部門と材料部門の2部門があります。
( )

7. 本部門は設備と陣容をそろえ、標準部品を製造しております。
( )

8. 1966年に、貴国に自社の工場を建てました。
( )

15 製品説明
PRODUCT EXPLANATION

BASIC SENTENCES 音声を聞いて、英文の意味を理解しなさい。 30

1. Our products last longer than other manufacturer's products, and make your job safer.
（当社の製品は、他社の製品よりも長持ちし、しかも、あなたの仕事を安全にします）

2. This equipment has been certified to comply with the limits for Class B.
（本機は、B クラスの規格に応じていることが、証明されております）

3. Many mechanical parts have been replaced by electronic ones.
（多くの機械部分は、電子部分に置き代わっております）

4. This apparatus can withstand vibration, shock, dirt, and dust.
（この装置は、振動、衝撃、チリ、ゴミなどに耐えることができます）

5. This superb jacket will make the buyer a proud owner for many years.
（このジャケットは、上等に仕上がっておりますので、お買い上げいただいた方に何年もの間、持主たる誇りを抱かせるでしょう）

---

1. **last**「長くもつ」　**make ～ safer**「～をより安全にする」
2. **certify**「証明する」　**comply with ～**「～に従う；応じる」　**limits**「限界」
3. **be replaced by ～**「～で置き代わる；交換する」　**ones** = parts
4. **apparatus**「装置；器機」　**withstand**「耐える」
5. **superb**「すばらしい」　**make the buyer a proud owner** 'make + 目的語 + 補語' の構文に注意。

WRITING PRACTICE 15

1 〜 4 は空欄を適切な語（句）で埋め、5 〜 8 は全文を和文英訳しなさい。

1. 当社の製品は、連邦規格 A クラスの精度要求を満足させています。
   Our products meet the accuracy (　　　　　　) of Federal Standard Class A.

2. 本商品は、ある環境条件にさらされると変質することがあります。
   This article is subject to (　　　　　　) when exposed to certain environmental conditions.

3. 当社の製品にご不満がございましたら、交換いたします。
   If you are not (　　　　　　　　　　) our products, we'll be glad to (　　　　　　) them.

4. 当社の製品の利点をご覧ください。
   Look at all the (　　　　　　) of our goods.

5. この情報は、一般的なガイドラインだけを示すものです。
   (　　　　　　　　　　　　　　　　　　　　　　　　　　　　　　)

6. この機械は、世界最大のメーカーのものです。
   (　　　　　　　　　　　　　　　　　　　　　　　　　　　　　　)

7. プラスチック製品は、何年も傷みません。
   (　　　　　　　　　　　　　　　　　　　　　　　　　　　　　　)

8. 当社の製品は、100 パーセント目視検査されています。
   (　　　　　　　　　　　　　　　　　　　　　　　　　　　　　　)

16 論文・報告書
PAPERS, REPORTS

BASIC SENTENCES 音声を聞いて、英文の意味を理解しなさい。 32

1. In this paper we focus on the electrical design verification.
   (本論文では、電気設計の検証方法を中心に述べました)

2. This paper summarizes the ways in which LSI has been applied to low-performance digital systems and is being applied to systems of increasing performance and complexity.
   (本論文では、LSI が低性能デジタル・システムに応用されてきた方法、および、LSI がますます高性能、複雑化してきたシステムに応用されつつある方法をまとめました)

3. Application of this method to the system is more straightforward and will not be treated here.
   (この方法をそのシステムへ用いるのは、さらに簡単なので、ここでは扱いません)

4. A significant part of both ideas and analyses reported in this paper is based on the work of Dr. James Smith.
   (本報で述べた考案や分析の重要な部分は、ともにジェイムズ・スミス博士の研究に基づくものであります)

5. The authors thank John Thomas and James Reagan for their support and encouragement.
   (ジョン・トーマス氏、および、ジェイムズ・レーガン氏のご指導・ご援助に感謝いたします)

---

1. **focus on** ～「～に焦点をあてる」 **verification**「検証」
2. **be applied to** の構文に注意。 **low-performance**「低性能」
3. **application of … to** ～「…を～へ利用すること」 **straightforward**「簡単な；単刀直入な」
4. **significant**「重要な」 **analyses** (*pl*) < analysis. **be based on** ～「～に基づいている」 **work**「研究」
5. **thank** ～ **for …** の構文に注意。 **support**「支持；支援」 **encouragement**「激励」

WRITING PRACTICE 16

1 ～ 4 は空欄を適切な語（句）で埋め、5 ～ 8 は全文を和文英訳しなさい。 33

1. 前報では、これらのシステムを用いて、その過程が導かれる方法を示しました。

   Previous publications have (   ) how the process is (   ) using these systems.

2. 分離装置とデータが、その命令を実行するために必要になることに気が付きました。

   We (   ) that a separate device and data are (   ) for the instruction.

3. 表 1. では、主な応用方法についての調査結果が示されています。

   Table 1. presents (   ) of the major applications.

4. LSI の導入で、コンピューターのコストはすぐに著しく減少し、性能も改良されました。

   The introduction of LSI has allowed an immediate spectacular decrease in the cost and improvements in the (   ) of computers.

5. 本報では、プロセッサーの構造について述べます。

   (   )

6. これらの方法の長所と短所を述べます。

   (   )

7. 考えるべき戦術は、次のとおりです。

   (   )

8. その装置の性能について、例をあげて述べています。

   (   )

17 仕様書・契約書
SPECIFICATIONS, CONTRACTS

BASIC SENTENCES 音声を聞いて、英文の意味を理解しなさい。 34

1. The Contractor shall commence work under this Contract within 10 calendar days after the date of receipt by him of notice to proceed.
(契約者は、本契約に基づいて、開始の指示を受けた日から10日以内に仕事を開始すること)

2. After approval of the drawings, the Contractor shall furnish the Engineer with as many prints as may be ordered.
(図面の承認を受けた後は、契約者は、要求される枚数のプリントを技術者に供給すること)

3. Upon completion of construction, the Contractor shall submit to the Engineer two copies of the prints showing the changes.
(工事が完了した際、契約者は変更を示したプリントを2枚、技術者に提出すること)

4. Unless otherwise specified, all materials to be incorporated in the work shall be new, unused, and of recent manufacture.
(とくに明記しないかぎり、その仕事に使用される材料はすべて新しく、未使用で、最近、製造されたものであること)

5. The Contractor shall prepare and submit a written progress report to the Engineer as soon as practicable on the first day of each month.
(契約者は、毎月初めに、できる限り早く進捗状況報告書を準備し、技術者に提出すること)

---

1. **contractor**「契約者」 **under this Contract**「この契約に基づいて」
2. **after approval of ～**「～の承認を得た後」 **furnish ～ with …**「～に…を供給する」
as many … as はここでは日本語で訳出するだけの意味がない。
3. **upon completion of …**「…が終わるや」
4. **unless otherwise specified**「とくに明記してないかぎり」 **incorporated in …**「…に組み入れる
5. **subm it ～ to …**「…に～を提出する」 **as soon as practicable** = as soon as possible

WRITING PRACTICE 17

1～4は空欄を適切な語（句）で埋め、5～8は全文を和文英訳しなさい。

1. 本契約はすべて、契約者が開始の指示を受けてから300日以内に完了しなければなりません。

   The entire Contract (　　　　　　　　　　) within 300 calendar days after the date of receipt by the Contractor of notice to proceed.

2. 本仕事においては、文書で承認されている材料および機器だけを使用しなければなりません。

   Only materials and equipment which have been approved (　　　　　　　　　　) shall be used in the work.

3. 技術者は、契約者が製品の実地試験を実施し、指定された試験の報告書を提出するよう要求できます。

   The Engineer may require that the Contractor make (　　　　　　　　　　) of any product and submit a report of the (　　　　　　　　　　).

4. 以上は本計画の概要を述べたもので、本計画のすべてを述べたものではありません。

   The above is only a general (　　　　　　　　　　) of the project and does not describe the (　　　　　　　　　　) project.

5. すべての装置が、明示された能力と特徴を発揮すること。

   (　　　　　　　　　　　　　　　　　　　　)

6. 本計画において支払われる最低賃金は、ここに添付されたスケジュール表に記載のとおりです。

   (　　　　　　　　　　　　　　　　　　　　)

7. このような試験は、技術者が認める私的試験研究所で行うこと。

   (　　　　　　　　　　　　　　　　　　　　)

8. 以下の仕事は、本契約には含まれません。

   (　　　　　　　　　　　　　　　　　　　　)

18 提案書

PROPOSALS

BASIC SENTENCES 音声を聞いて、英文の意味を理解しなさい。

1. This report proposes the installation of an air-conditioner in the new plant.
（本レポートは、新しい工場にエアコンの設置を提案したものです）

2. There are significant differences between the ways Japanese writers and Western writers develop, organize, and present information.
（日本人と西洋人では、情報の展開法と、まとめ方と提示法に著しい違いが見られます）

3. We request that the following information be included in your proposal.
（貴社からの提案書に、次の事柄の記載をお願いします）

4. To help alleviate this problem, we are requesting $100,000 to conduct research and to develop materials.
（この問題を解消するために、研究を行い、材料を開発する費用として10万ドルを要求いたします）

5. We would appreciate your decision soon so the sample filters can be prepared.
（お早くお決めくださいますよう、お願いいたします。それにより、サンプルのフィルターを準備いたします）

---

1. **propose**「提案する」　**installation**「設置」
2. **significant difference**「顕著な相違」
4. **alleviate**「解消する；解く」
5. **appreciate**「に感謝する」

WRITING PRACTICE 18

1 ～ 4 は空欄を適切な語（句）で埋め、5 ～ 8 は全文を和文英訳しなさい。

1. 本状は、ABC 発電機について、貴殿からのデータのお問い合せにたいするものです。

   This is a (　　　　　　　) to your request for information on the ABC generator.

2. 毎分 720 回転するシャフトに、クラッチをお付けになりたいということがわかりました。

   (　　　　　　　) you wish to mount the clutch on a shaft which would be turning at 720 rpm.

3. その場合は、価格 160 ドルの上記の A-1220 型の代わりに、180 ドルの A-1230 型をお勧めします。

   In that case, we would (　　　　　　　) A-1230 at $180 instead of A-1220 at $160 described above.

4. 価額を分析した結果、新しい機械を買うべきであることがわかりました。

   Our (　　　　　　　) indicates that a new machine should be bought.

5. 当社は、ABC 発電機の開発では先駆者的存在です。

   (　　　　　　　　　　　　　　　　)

6. ABC 社の印刷機をリースで借りるべ きです。

   (　　　　　　　　　　　　　　　　)

7. それ故、モデル SL-10 が貴社のご要望に最適だと思います。

   (　　　　　　　　　　　　　　　　)

8. 従業員の安全を考えたとき、その費用は、きわめて合理的な投資です。

   (　　　　　　　　　　　　　　　　)

19 説明書・インストラクション
MANUALS, INSTRUCTIONS

BASIC SENTENCES 音声を聞いて、英文の意味を理解しなさい。 38

1. If any object is accidentally dropped into the machine, turn the power off and carefully remove it.
(誤って何か物を機械の中に落とした場合は、電源を切って、注意して取り出してください)

2. Before connecting the two systems, be sure the power to all units is OFF!
(両システムを接続する前に、すべての装置の電源を必ず切ってください)

3. Consult your computer owner's manual for details on powering up your computer with peripheral devices.
(周辺機器を使って、コンピュータを増強することに関しての詳細は、コンピュータのオーナーズ・マニュアルを参照してください)

4. If the device fails to operate properly, try to solve the trouble by using the following table.
(装置が正常に作動しない場合は、次の表に従って不具合を直してください)

5. This section shows you how to set up the device so you can begin using it as quickly as possible.
(本項では、できるかぎり速やかに、ご使用いただけるように、この装置のセット方法を述べます)

---

1. **object**「物」　**accidentally**「誤って」　**remove**「取り除く」
2. **power**「電源」
3. **owner's manual**「使用者用の説明書」　**power up**「増強する」
   peripheral device「周辺機器」
4. **fail to** = cannot
5. **section**「項」

WRITING PRACTICE 19

1 ～ 4 は空欄を適切な語（句）で埋め、5 ～ 8 は全文を和文英訳しなさい。

1. その装置が一時的にデータを蓄えることができることは、タイプライター以上の利点です。

   The device's ability to temporarily store data is its main (　　　　　　) over the typewriter.

2. AC プラグは、220V、50Hz でアースのしてある AC ソケットに接続してください。

   (　　　　　　) the AC power plug to a 220-volt, 50Hz (　　　　　　) AC outlet.

3. 注意！　用紙をセットするときには、用紙が必ず用紙挿入口に正しく入るようにしてください。

   CAUTION! When loading paper, be sure the paper (　　　　　　) the paper insertion opening.

4. 用紙がセットされた後、ランプが点灯しなければ、印字を開始してください。

   You may begin (　　　　　　) if the lamp does not go on after the paper is (　　　　　　).

5. その装置は、3 つの応用が可能なように設計されております。

   (　　　　　　　　　　　　　　　　　　　　　　　　)

6. 当社のコンピューター製品をお選びいただき、有難うございます。

   (　　　　　　　　　　　　　　　　　　　　　　　　)

7. ご使用になられる紙の厚さに応じて、ヘッドを調整する必要があります。

   (　　　　　　　　　　　　　　　　　　　　　　　　)

8. ゴムは濡らさないでください。もし濡らしてしまったら、すぐに電源を切って拭き取ってください。

   (　　　　　　　　　　　　　　　　　　　　　　　　)

20 プレゼンテーション
PRESENTATIONS

BASIC SENTENCES　音声を聞いて、英文の意味を理解しなさい。

1. I am very honored to have a group of such well-known specialists as the audience for my report.
（皆様のような著名な専門家の方々に、私の研究の発表ができますことは非常に光栄でございます）

2. As this is my first report in English, I hope you will forgive any inadequate English expressions.
（英語で発表するのは初めてですので、不適切な英語表現がございましたならお許しのほどお願いいたします）

3. Today, I shall explain the advanced AB Process on which a great deal of research has been done by our laboratory.
（今日は、当研究所で多くの研究をし、進歩した AB 行程についてご説明したいと思います）

4. As you know, this process was reported previously by Dr. Robert Reagan at the world conference in San Francisco in March 1985.
（ご存じの方もいらっしゃると思いますが、この行程は、1985 年 3 月にサンフランシスコで開催されました国際会議で、ロバート・レーガン博士によって発表されました）

5. To summarize the above-mentioned results, our advanced AB Process provides a low-temperature and short-time treatment which effects a reduction in waste volume.
（いままで述べてまいりました事柄を要約いたしますと、当社の進んだ AB 行程では、低温、短時間で処理ができ、廃棄物を大幅に減らす効果がございます）

---

1. **I am very honored to** ～「～で大変光栄です」 **well-known**「有名な」 **audience**「出席者」
2. **inadequate**「不十分な」
3. **a great deal of**「多くの」
4. **previously** このような場合、この単語は省略してもかまわない。
5. **summarize**「要約する」 **effect**「達成する；生みだす」

WRITING PRACTICE 20

1～4は空欄を適切な語（句）で埋め、5～8は全文を和文英訳しなさい。

1. そのシステムについて、研究の機会が持てることを大変うれしく存じます。

   I deeply (　　　　　　　　) the opportunity to do research on the system.

2. 本日のお話として「テクニカル・イングリッシュは国際語」をタイトルに選びました。

   I have (　　　　　　　　) “Technical English is an International Language” (　　　　　　　　　　　　) my remarks today.

3. 本日の本論に入る前に、テクニカル・ライティングの日本における現状を簡単にご紹介するのが道だと思います。

   Before considering (　　　　　　　　　　　　　　　　　　　　) I think it might be useful to give you a (　　　　　　　　　　　　) of English Technical Writing in Japan today.

4. その分野は、平和な世界を築くために重要な研究です。

   The field is an important (　　　　　　　　　　　　) in the building of a peaceful world.

5. スミス博士、ご親切なご紹介ありがとうございました。

   (　　　　　　　　　　　　　　　　　　　　　　　　　　　　　　)

6. このタイトルは、今日の世界の現状を述べていることに、皆様のご賛成をいただけると思います。

   (　　　　　　　　　　　　　　　　　　　　　　　　　　　　　　)

7. この私の説明により、日本の技術者が、日本でどのような勉強をしているかが、おわかりいただけると存じます。

   (　　　　　　　　　　　　　　　　　　　　　　　　　　　　　　)

8. ご静聴に感謝しつつ、本日の私の話を終えたいと思います。ありがとうございました。

   (　　　　　　　　　　　　　　　　　　　　　　　　　　　　　　)

A Shorter Course in SCIENTIFIC AND TECHNICAL ENGLISH

5 分間 科学・技術英語 [B-937]

1　刷　2022年2月17日

著　者　篠田　義明　Yoshiaki Shinoda

発行者　南雲一範　Kazunori Nagumo
発行所　株式会社　南雲堂
〒162-0801　東京都新宿区山吹町361
NAN'UN-DO Co., Ltd.
361 Yamabuki-cho, Shinjuku-ku, Tokyo 162-0801, Japan
振替口座：00160-0-46863
TEL: 03-3268-2311（営業部:学校関係）
03-3268-2384（営業部:書店関係）
03-3268-2387（編集部）
FAX: 03-3269-2486

編集者　加藤　敦

装　丁　Nスタジオ

組　版　Office haru

検　印　省　略

コード　ISBN978-4-523-17937-5　C0082

Printed in Japan

E-mail nanundo@post.email.ne.jp
URL https://www.nanun-do.co.jp/